La trib des Préhistos

Françoise Demars
avec la participation de Sylvia Dorance

illustrations de **Samuel Ribeyron**

MAGNARD

QUE D'HISTOIRES !
CE1

La tribu des Préhistos

Grand-père
le Rouge

Oma

Rohar

Pincevent

Opa

Vénus

Grand-mère
Altamira

Bébé

Pierrette

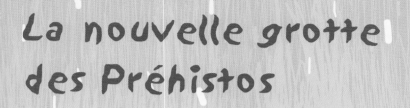

La nouvelle grotte des Préhistos

Rohar n'est pas content.
La nouvelle grotte que Opa a choisie
est immense.
On n'en voit pas le fond.
Rohar renifle en plissant le nez.
En plus, elle sent une drôle d'odeur,
cette grotte : elle sent presque mauvais.
En tout cas, elle n'a pas l'odeur de la caverne
d'avant.

– Dis Oma, si on retournait dans notre
toute petite grotte ?

– Pas question. Une toute petite grotte pour
une si grande famille, ce n'est plus possible.

Rohar s'avance au milieu de la grotte toute
noire.

Il se sent perdu.

De l'eau glacée coule sur les parois.

– J'ai froid, murmure Rohar, en frissonnant.

Mais personne ne fait attention à lui.

Pierrette, ravie, délimite un espace au sol
avec des rangées de pierres.

– Génial ! C'est ici que je vais installer mon
atelier de tailleur de cailloux !

Rohar a envie de pleurer.

Il se blottit dans un coin.

Là, de grands trous sont creusés dans le sol.

Ça sent la crotte et l'odeur des grands fauves.

Rohar écarquille les yeux.

Sur les parois, il découvre des traces de griffes.

– Aaaaah aaah… des tigres à dents de sabre…

Rohar se met à trembler.

Il lui semble qu'une ombre s'agite dans le noir,

prête à bondir sur lui et à le dévorer.

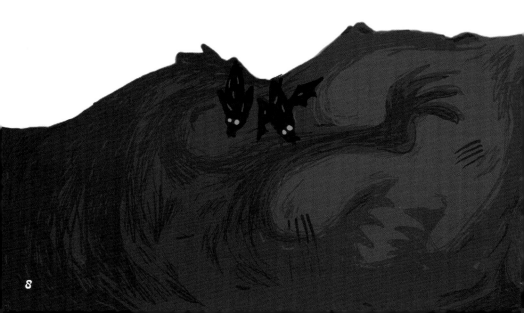

– Au secours Opa, au secours Oma, il faut rentrer chez nous ! Ici, c'est une grotte de bêtes sauvages !

Tout à coup, tout s'illumine et l'ombre disparaît. Rohar soupire de soulagement.

Grand-père le Rouge vient d'allumer un grand feu devant l'entrée de la grotte.

Le petit garçon arrête de trembler.

Il se sent rassuré : avec le feu, les bêtes

sauvages ne risquent pas de venir les attaquer.

Et puis il aime cette odeur de fumée

que le vent du dehors apporte.

Pincevent grogne dans son coin :

– Qui pourrait m'aider à éclairer le fond

de la grotte ?

Rohar se précipite. Il allume les torches

et Pincevent les accroche en hauteur.

Les flammes tremblent dans le courant d'air.

Mais Rohar est content, le noir a presque

disparu.

Au fond de la grotte, Vénus chante en faisant
le grand lit de la tribu des Préhistos.
Tout à coup, Oma appelle :
– Rohar, apporte-moi mon mammouth-sac !
Rohar court vers elle. Il n'a plus froid.
Pourtant, il sent encore dans son cou le vent
d'hiver qui entre dans la grotte, tourne et
virevolte comme s'il voulait tout visiter.

Oma fouille dans son sac :

– Qu'est-ce qu'on pourrait manger pour fêter notre arrivée ?

Rohar voudrait bien un ragoût de cerf accompagné de baies sauvages.

– D'accord, dit Oma.

Opa accroche un grand rideau de peau devant l'entrée de la grotte. Plus de vent glacé.

– Dehors, l'hiver !

Ici, c'est chez nous ! lance Rohar.

Le soir venu, la tribu des Préhistos se couche
sous les peaux de bêtes.
Le feu brûlera toute la nuit pour chasser
les bêtes féroces.
Rohar a du mal à s'endormir.
Grand-père le Rouge ronfle trop fort.
Les nouveaux dessins de Grand-mère Altamira
dansent à la lueur des flammes.

Tout le monde dort : Opa, Oma, Pierrette,
Pincevent et même Bébé…
Hum ! Rohar sent le parfum de Vénus.
Alors il se roule en boule et ferme les yeux.
Il peut s'endormir, il est chez lui à présent.

Le feu du volcan

Rohar se penche, impressionné :
– Comme ce volcan est immense !
Comme ses parois sont noires !
Comme son cratère est profond !

Grand-père le Rouge secoue la tête :
– Ne comptez pas sur moi pour aller chercher
du feu, j'ai tant marché, je suis trop fatigué !
Il s'enroule dans une peau de bête et se met
à ronfler.

Aussitôt Grand-mère Altamira se couche
à ses côtés.
Elle bâille bruyamment et ferme les paupières.
Rohar a beau la secouer, rien à faire.
– Grand-mère dort…
– Elle dort ?
– Elle dort !
Oma soupire :
– Pourtant il nous faut du feu pour chauffer
la grotte en hiver !

Opa se frappe la poitrine d'un air décidé :
– C'est moi qui vais aller chercher le feu.
Je suis le plus fort et le plus courageux !
Et le voilà qui plonge, tête la première,
dans le volcan.
Pauvre Opa !
Quand il ressort, il ressemble à une tranche
de mammouth grillée.
Mais il n'a pas réussi à capturer le feu.
Pincevent soupire :
– Pourtant il nous faut du feu pour chasser
les bêtes féroces !

Pendant ce temps, Oma s'est mise à fabriquer
une drôle de machine à voler :
– Je vais descendre en planant tout au fond
du cratère…
Aussitôt dit, la voilà partie.
On entend d'abord un grand crac, puis un
grand boum.
Et Oma réapparaît dans un nuage de fumée.
Elle n'a pas réussi à rapporter du feu.
Les enfants soupirent :
– Pourtant il nous faut du feu pour éclairer
la nuit noire !

Pincevent a une idée.

Il se roule dans la boue fraîche pour se protéger de la chaleur.

– Ne vous inquiétez pas. Je descends dans le volcan ! J'en ai pour un instant et hop ! je reviens avec le feu.

Mais Zouiippp !

Avant même d'atteindre le cratère, Pincevent glisse, roule et atterrit dans un buisson plein d'épines.

Rohar éclate de rire :

– Pincevent est devenu un hérisson !

Opa soupire :

– Pourtant il nous faut du feu pour durcir
les pointes de nos lances !

Vénus tourne le dos au volcan en boudant.

– Ne comptez pas sur moi pour aller chercher
le feu. Je ne veux pas abîmer mon nouveau
manteau de fourrure !

– Ne t'inquiète pas, répond Pierrette, j'ai une idée.

Et la voilà qui se met à taper sur la pierre,
et pan ! et pan ! de toutes ses forces.
Ouille ! Grand-père le Rouge s'est réveillé.
Il râle :
– Pierrette, quel boucan tu fais ! Veux-tu bien
t'arrêter ?
– Écoute, Grand-père. Laisse-moi travailler.
Je taille un escalier pour descendre chercher
du feu tout au fond du volcan.
– Ouh là là, soupire Grand-père le Rouge,
c'est bien trop long et trop compliqué.
Tu en as au moins pour cent ans. Je serai
mort avant que l'escalier ne soit terminé !

Alors Rohar bondit sur ses pieds :

– Puisque c'est ça, moi j'y vais !

– Pas question, gronde Oma. Toi, tu restes là avec Bébé.

Vénus soupire :

– Et pourtant il nous faut du feu pour faire sécher les peaux de bêtes après la pluie !

Opa grogne et se frotte le ventre :

– J'ai faim !

Grand-père le Rouge répète :

– J'ai faim !

Pincevent, Vénus et les petits crient :

– Nous aussi !

Tous s'approchent d'Oma.

Alors Oma sort un steak de son mammouth-sac et dit :

– Oui, mais sans feu, on mange tout cru.

– Pas question ! proteste la tribu en chœur.

Il faut trouver une solution !

29

Grand-mère Altamira ouvre un œil et soupire :
– Ah ! là ! là ! Décidément, ils ne peuvent pas
se passer de moi…
Alors elle explique à Grand-père comment
laisser pendre ses pieds dans le trou du cratère.
Puis elle se laisse glisser jusqu'aux pieds de
Grand-père et s'y accroche.
Après, vient le tour d'Opa, puis d'Oma, de
Pincevent, de Vénus, de Pierrette et de Rohar.
– Ça y est ! crie Rohar, j'ai attrapé le feu,
vous pouvez remonter !

31

Grand-père fait un grand feu.

Quel festin !

Un bon steak de mammouth grillé, ça fait du bien !

Rohar glisse une braise dans la corne à feu de Grand-père.

– Ça, c'est pour rapporter chez nous…

Sur le chemin du retour, tout le monde
chante :

– On va pouvoir chauffer la grotte !

– On va pouvoir chasser les bêtes féroces !

– On va pouvoir s'éclairer quand il fera noir !

– On va pouvoir faire durcir la pointe
des lances !

– On va pouvoir faire sécher les peaux
mouillées…

– Et manger de la viande grillée ! You !

La chasse au mammouth

Ce matin, de bonne heure, la tribu
des Préhistos part à la chasse.
Rohar grimpe à la cime d'un grand arbre
pour faire le guet.
– Yêêê ! Là-bas, au milieu de la plaine,
en direction du lac, il y a un troupeau
de mammouths !

C'est le signal, la tribu se met en marche,
armée de flèches et de pieux.
Un mammouth plus vieux que les autres
s'est écarté du troupeau.
Opa prend la direction des opérations.
– Dirigeons le vieux mammouth vers le lac !

Rohar et Pierrette sont chargés de faire voler
des boules de neige en direction de la grosse
bête.
Oma, Grand-mère Altamira et Vénus poussent
des cris aigus pour la faire reculer.
Même Bébé s'y met.
Grand-père le Rouge, Opa et Pincevent
lancent leurs sagaies pour blesser l'animal
et l'affaiblir.

Enfin, le mammouth, apeuré, prend
la direction du lac gelé.
– Regardez, ça marche ! s'écrie Rohar.
Le mammouth avance sur la glace.
D'abord une patte, puis deux, puis trois
et crac !
La glace se casse et le mammouth s'enfonce
dans l'eau glacée.
Aussitôt les hommes de la tribu s'élancent
sur lui en poussant des hurlements terribles.
Rohar les suit.
Il n'a encore jamais vu un mammouth
d'aussi près.

Le mammouth est énorme. Il est enfoncé dans
l'eau glacée et se débat en vain. Il n'arrive pas
à se dégager : plus il bouge, plus il s'enfonce.
Peu à peu le mammouth s'épuise et les hommes
l'achèvent à coups de pieux.

Pierrette donne à chacun un silex aiguisé
pour découper la bête.
Grand-père le Rouge s'occupe des défenses.
Oma et Vénus récupèrent la peau.
Opa et Pincevent découpent la viande
en morceaux.
Tout le monde est intéressé… même les loups !
Rohar et Pierrette les chassent avec des pierres.

41

Tout à coup Oma s'écrie:

– Rohar ! Attention !

Trop tard. Plouf !

En voulant prendre son élan pour jeter
une grosse pierre, Rohar vient de tomber
dans l'eau glacée.

Grand-père le Rouge et Grand-mère Altamira
sont pétrifiés.

Opa lance un bâton au petit garçon mais
il tombe trop loin.

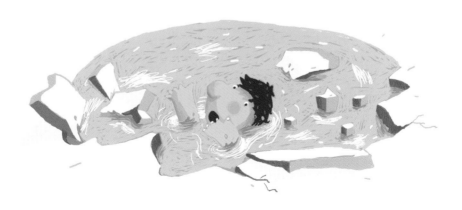

Rohar ne peut pas s'y accrocher.

Oma crie :

– Le mammouth, le mammouth !

Alors Rohar nage comme il peut dans l'eau glacée.

Il attrape les longs poils laineux et se hisse
sur le dos du gros animal.

Puis, prenant son élan, il saute dans les bras
d'Oma.

Vénus le couvre aussitôt de son long manteau
de fourrure.

À la grotte, vite !

Devant le feu, Rohar se réchauffe tandis que
Oma sort de son mammouth-sac des morceaux
de viande fraîche. Elle prépare, pour toute
la tribu, un bon ragoût aux herbes de la forêt.
Vénus s'occupe de la peau :

– Tu vois, Rohar, je vais te coudre un manteau
bien chaud.

Et Pincevent lui taille une flûte dans un os.
Après le repas, la tribu se couche,
bien au chaud sous les peaux de bêtes.
Avant de s'endormir, ils regardent la nouvelle
fresque que Grand-mère Altamira vient
de réaliser.
Elle raconte leur aventure.

46

– On s'en souviendra de cette chasse
au mammouth…

Rohar est satisfait.

Il a donné le signal, il a participé à la chasse,
il est tombé dans l'eau glacée, il est monté
sur le dos d'un mammouth, il s'est régalé
d'un bon ragoût aux herbes et a joué de la flûte
tard dans la soirée…

Turlututut, turlututut ! La bonne journée !

Table des matières

« Que d'histoires ! » CE1, 2ᵉ série,
animée par Françoise Guillaumond

© Éditions Magnard, 2005
www.magnard.fr
5, allée de la 2ᵉ DB - 75 015 Paris

PEFC
10-31-2065